meu corpo
minha casa

rupi kaur

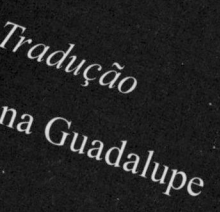

Tradução

na Guadalupe

Copyright © Rupi Kaur, 2020
Copyright © Editora Planeta do Brasil, 2020
Todos os direitos reservados.
Título original: *Home Body*

Preparação: Thais Rimkus
Revisão: Renata Lopes Del Nero
Diagramação: Marcela Badolatto
Arte do box: Adaptada do projeto original por Fabio Oliveira
Capa: Rupi Kaur

Dados Internacionais de Catalogação na Publicação (CIP)
Angélica Ilacqua CRB-8/7057

Kaur, Rupi
　Meu corpo minha casa / Rupi Kaur; tradução de Ana Guadalupe. – 1. ed. – São Paulo: Planeta, 2021.
　192 p.: il.

ISBN 978-65-5535-628-1
ISBN 978-65-5535-625-0 (box)
Título original: *Home body*

1. Poesia indiana I. Título II. Guadalupe, Ana

21-5410　　　　　　　　　　　　　　　　　　　CDD 811.6

Índice para catálogo sistemático:
1. Poesia indiana

Ao escolher este livro, você está apoiando o manejo responsável das florestas do mundo

Acreditamos nos livros

Este livro foi composto em Times New Roman e impresso pela Geográfica para a Editora Planeta do Brasil em fevereiro de 2022.

2022
Todos os direitos desta edição reservados à
Editora Planeta do Brasil Ltda.
Rua Bela Cintra, 986 – 4º andar – Consolação
01415-002 – São Paulo-SP
www.planetadelivros.com.br
faleconosco@editoraplaneta.com.br

depois de tanto tempo separados
minha mente e meu corpo enfim
voltam a se encontrar

- meu corpo minha casa

sumário

mente.. 7

coração... 51

repouso.. 85

despertar... 131

mente

nunca estive num lugar tão sombrio quanto este

talvez eu tenha saído assim do útero
será que é possível ter nascido
com um espírito tão melancólico
talvez ele tenha me recebido no aeroporto
se enfiado no meu passaporte
e ficado comigo
muito depois de termos pousado
num país em que éramos indesejados
talvez estivesse no rosto do meu pai
quando ele nos encontrou na esteira de bagagem
e eu não fazia ideia de quem ele era
talvez o estuprador tenha esquecido quando foi embora
ou será que foi o criminoso que eu chamava de
namorado
talvez ele tenha me dado como se fosse um soco
talvez eu tenha conhecido
a pessoa certa e a perdido
talvez tenha sido o presente de despedida
do amor da minha vida
ou talvez
tenha sido tudo isso de uma vez

- *de onde veio a depressão*

por que deixo meu pensamento
me embrulhar o estômago
eu sou tão sensível

minha mente se perde pelos lugares mais sombrios
e sempre volta cheia de argumentos
para provar que eu não sou o suficiente

por meio do sexo as pessoas
saem de si mesmas e se misturam às outras
e depois se separam satisfeitas
uma expressão tão mundana e bonita
mas eu
por meio do sexo vi minha infância
assassinada
ele dizia
que era hora de brincar
mas sempre trancava a porta
sempre ditava as regras
quando eu pedia para ele parar
ele dizia que eu gostava
mas eu não sabia nada
sobre orgasmos involuntários
e agência
e consentimento
aos 7. 8. 9. 10 anos.

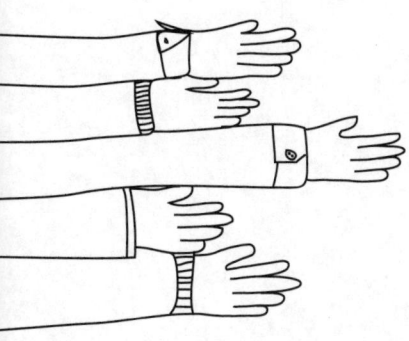
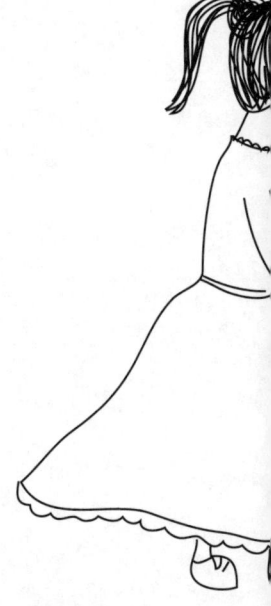

eu vou ficar quieta na hora
em que dissermos *abuso sexual*
e os outros pararem
de gritar *mentirosa*

a depressão é silenciosa
ela chega quando você menos escuta
e de repente se torna
a voz que fala mais alto na sua cabeça

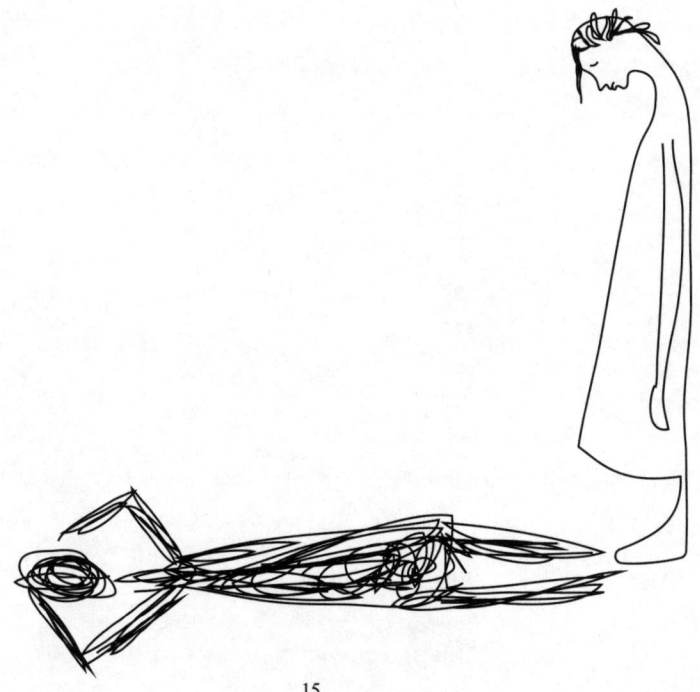

minha mente
meu corpo
e eu
moramos no mesmo lugar
mas às vezes parece
que somos três pessoas diferentes

- *desconexão*

enquanto todo mundo
levava a vida ao vivo e em cores
a depressão congelou minha imagem

nada dura para sempre
deixe que seja esse seu motivo para ficar
nem mesmo essa imensa tristeza dolorida
vai durar

- *esperança*

eu nunca tinha visto nada que anunciasse
um estrondo tão silencioso quanto a ansiedade

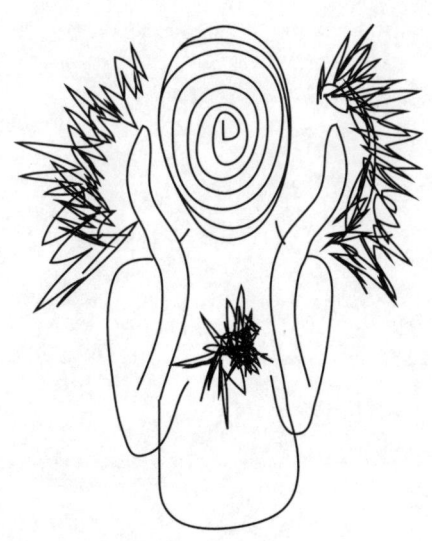

se você aceitasse
que a perfeição é inatingível
de que insegurança você abriria mão

você está solitária
mas não está sozinha

- *é diferente*

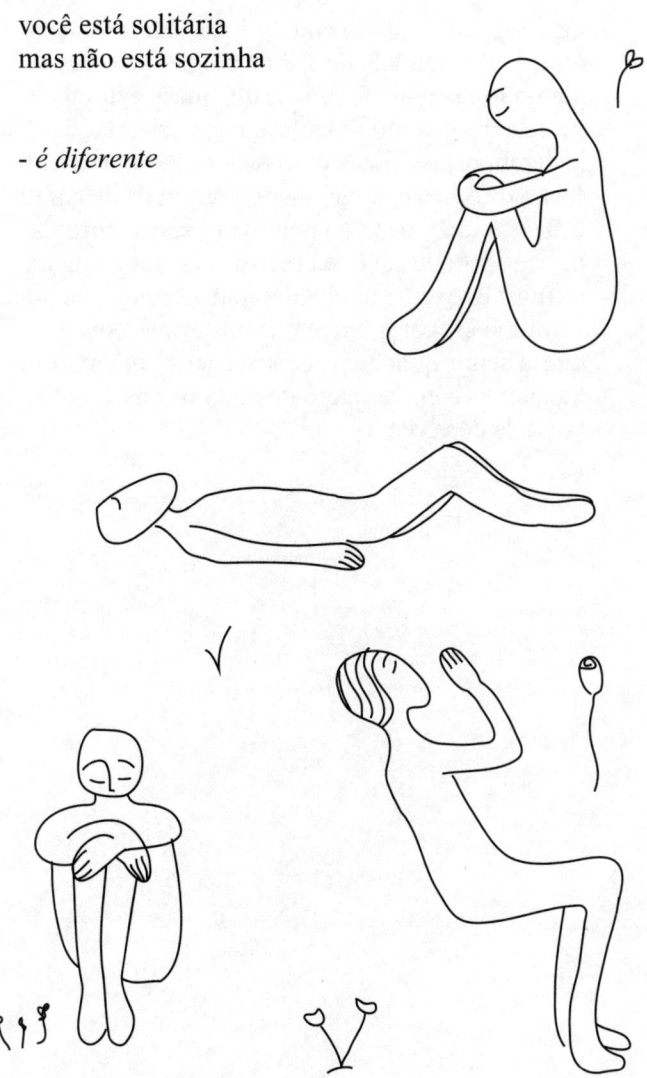

parece que eu estou vendo minha vida acontecer
através de uma tela de TV com chuvisco. eu me
sinto tão distante deste mundo. quase estrangeira
neste corpo. como se tivessem esvaziado todas
as lembranças felizes do interior da minha mente.
fecho os olhos e já não me lembro mais de como
é ficar feliz. o peso no peito vai parar dentro da
barriga porque sei que preciso levantar de manhã
e fingir que não voltei a desaparecer pouco a pouco.
eu quero esticar o braço e encostar nas coisas.
quero sentir quando as coisas encostam em mim.
eu quero viver. eu quero de volta minha
vontade de viver.

não é só nas relações românticas
que o abuso acontece
o abuso também pode morar
na amizade

desci do palco
no fim do evento
rezando para aquela tristeza profunda
parar de me comer viva
eu estava doente
mas fingia que não estava
ao menos trabalhar me motivava
voltar no fim do dia
para um apartamento vazio era pior
sem trabalho eu não tinha nada a almejar
eu passava meses entregue à depressão
quase desmaiada de mágoa
olhos abertos
pensamento perdido em outra dimensão
escreva o livro me diziam
volte ao seu caminho
por que tanta demora

- *vazia*

eu quero viver
eu só tenho medo de
não corresponder às expectativas
que as pessoas têm a meu respeito
eu tenho medo de envelhecer
pavor de nunca mais escrever
algo que valha a pena
de decepcionar as pessoas
que esperam o melhor de mim
de nunca aprender a ser feliz
de um dia voltar a ficar sem dinheiro
de os meus pais morrerem
e eu ficar sozinha no fim

ser vítima de abuso na infância foi a experiência mais confusa da minha vida. aprender o que era sexo sem ter nenhuma referência ferrou com a minha cabeça de formas que eu mal consigo entender. ter um orgasmo tão cedo. ter a vida colocada em risco. ser aberta à força. ferida. levar mordidas. cuspidas. virar mulher aos quatro anos de idade. conhecer o medo de perto. sentir o medo fungar no pescoço. ficar anestesiada. imóvel. inerte. de repente ter em mim toda a vergonha do mundo.

o instinto de sobrevivência
surgiu em mim como um incêndio

quero me partir
me quebrar
ser moldada à força
eu quero abrir onde sou fechada
encontrar a porta secreta
me deixar sair de mim
eu quero alguma coisa
que me segure pelo pescoço
me abra ao meio
quero me sentir viva de novo

- não quero mais viver anestesiada

decidi confiar na incerteza
e acreditar que vou
chegar a um lugar
certo e bom

não há nada de errado com você
isso é crescimento
isso é transformação
decidir se proteger
se perder na multidão
tentar se resolver
sentir que alguém te usou
e não teve consideração
perder a esperança
ficar sem energia
isso é medo
isso é reflexão
isso é sobrevivência
isso faz parte da vida

- *jornada*

você põe tudo a perder
quando não ama primeiro você

- e ganha tudo quando se ama

eu não sou minhas fases ruins
eu não sou o que me aconteceu

- *lembrete*

já não tenho nenhuma lembrança
de alguns anos que vivi
minha terapeuta fala que a mente apaga o trauma
para nos ajudar a seguir em frente
mas todas as experiências que tive
estão memorizadas em minha pele
mesmo quando a mente esquece
meu corpo lembra
meu corpo é o mapa de minha vida
meu corpo veste tudo o que viveu
meu corpo aciona o alarme
quando sente o perigo chegar
e de súbito
os demoniozinhos do passado
saem do meu corpo num salto
e gritam
não se esqueça da gente
nunca mais pense em tentar
deixar a gente pra trás

ou eu romantizo o passado
ou perco tempo me preocupando com o futuro
não é à toa
que eu não me sinto viva
eu não estou vivendo
no único momento que existe

- *presente*

ter ansiedade é como estar pendurada
no topo de um prédio
e saber que minha mão está prestes
a escorregar

como eu sou capaz
de ser tão cruel comigo
mesmo sabendo que faço o melhor que posso

- *seja gentil*

uma lista de coisas que vão te acalmar os ânimos:

1) chore. ande. escreva. grite. dance até
   botar esse sentimento pra fora.
2) se depois de tudo isso
   você ainda sentir
   que está perdendo o controle
   pare pra pensar se vale a pena chegar ao fundo do poço
3) a resposta é não
4) a resposta é respire
5) tome um chá e espere até se acalmar
6) você é a heroina de sua vida
7) esse sentimento não tem poder sobre você
8) o universo te preparou para lidar com isso
9) mesmo que a escuridão se alastre
   a luz sempre chega
10) você é a luz
11) levante-se e volte para o lugar onde mora o amor

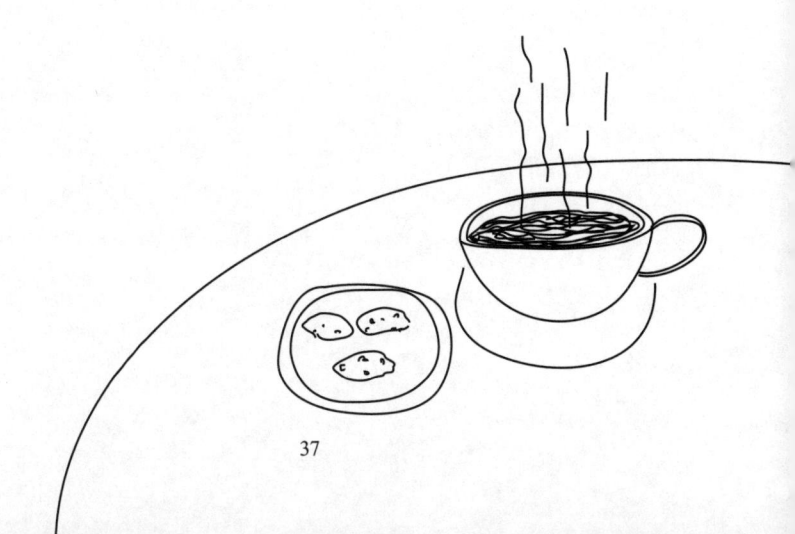

eu não estou perdida
por causa da depressão
eu não sou uma versão piorada de mim mesma
por causa da ansiedade
eu sou uma pessoa inteira
completa
e complexa

- *plena*

é me amando que vou sair da escuridão

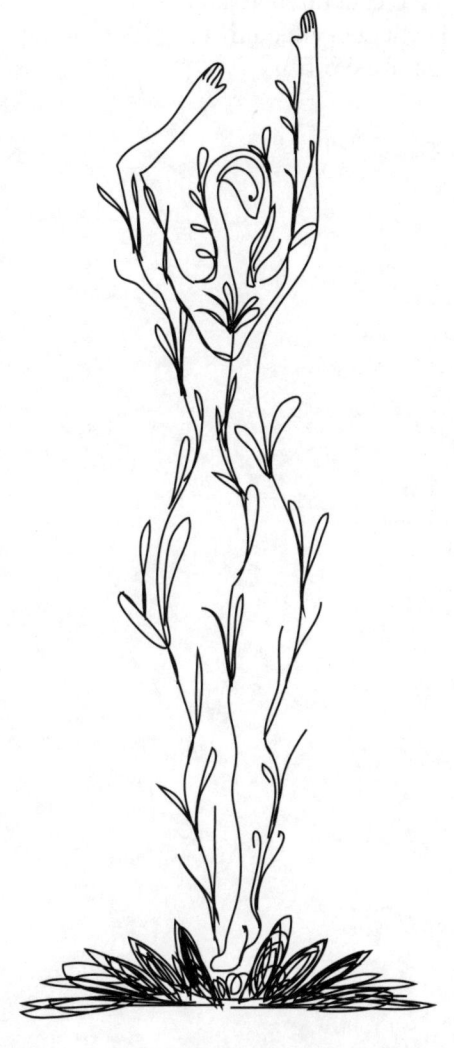

eu continuo respirando olha só
isso só pode ser sinal de que
o universo está do meu lado
se eu já cheguei até aqui
eu posso ir até o fim

imagine só o que conquistaríamos se
não tivéssemos que nos esforçar tanto
para nos proteger desse
problema social chamado estupro

passei a maior parte da vida
encostada em você
pele com pele
nossas noites compartilhadas
e às vezes nossos dias
você me dava apoio quando meus membros fraquejavam
quando eu estava tão doente que não conseguia me mexer
você nunca se cansou do meu peso
você não reclamou nem uma vez
você testemunhou meus sonhos
meu sexo
minha escrita
minhas lágrimas
todos os momentos de vulnerabilidade da minha vida
aconteceram com você
entre uma e outra gargalhada
e quando errei em confiar na pessoa errada
foi em cima de você que eu fiz amor
desaparecia por dias
só para voltar com as mãos vazias
você sempre me aceitava de volta
quando o sono me abandonava
ficávamos deitadas juntas
você é o melhor abraço da minha vida
meu confessionário
meu altar
eu deixei de ser menina e virei mulher em cima de você
e no fim
será você – velha amiga
que me entregará tranquila à morte

- não há lugar mais íntimo que uma cama

você não a perdeu
a felicidade estava aqui desde sempre

- *você só a perdeu de vista*

as experiências a que sobrevivemos
vivem dentro de nós

eu não sou vítima da minha vida
as experiências a que sobrevivi
revelaram a guerreira que existe em mim
e ser assim é a minha maior honra

pelo amor da minha vida
tenho feito de tudo para ser otimista
continuo cumprimentando cada manhã
com um *eu vou conseguir*
quando parece que não vou
eu vou
eu vou
eu vou
chegar ao dia que vai me desfazer
eu vou andar e a tristeza *vai*
escorrer pelas minhas costas
e abrir espaço para a alegria
eu vou ficar toda colorida
eu vou voltar a tocar o céu

eu quero uma passeata
eu quero música
eu quero confete
eu quero uma fanfarra
para quem sobrevive em silêncio
eu quero que aplaudam de pé
cada pessoa que
acorda e procura o sol
quando há uma sombra
que a puxa de volta para dentro

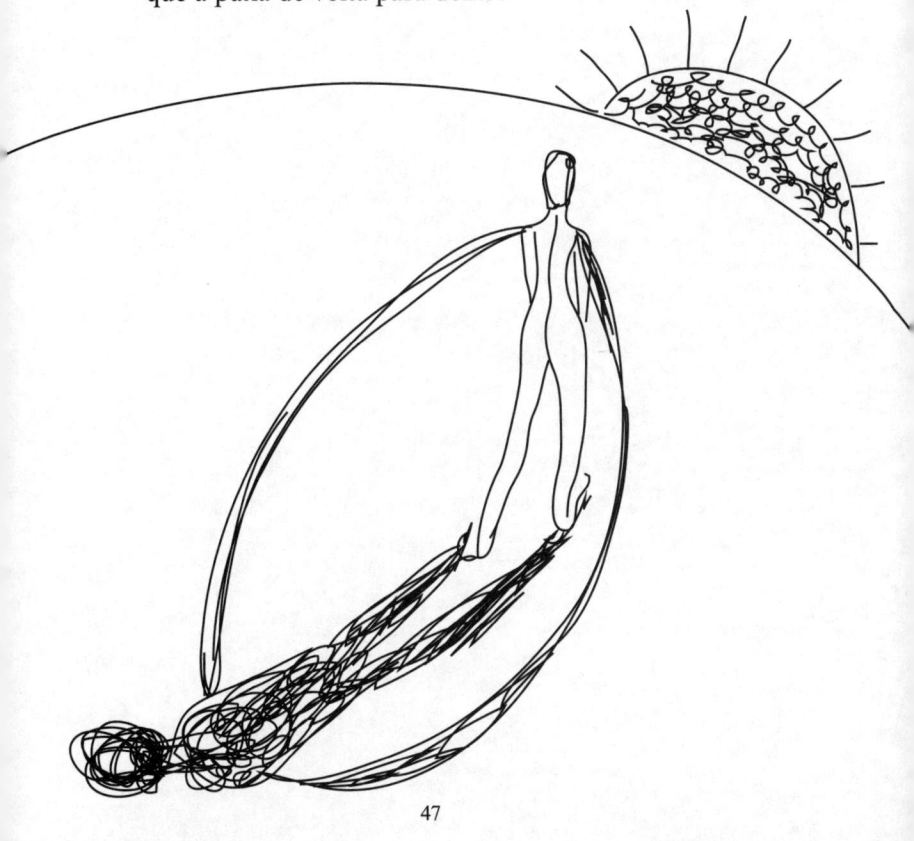

a angústia é a passagem que leva à alegria

cansei de ficar decepcionada
com a casa que me mantém viva
estou exausta de tanto gastar energia
odiando a mim mesma

- *chega de ódio*

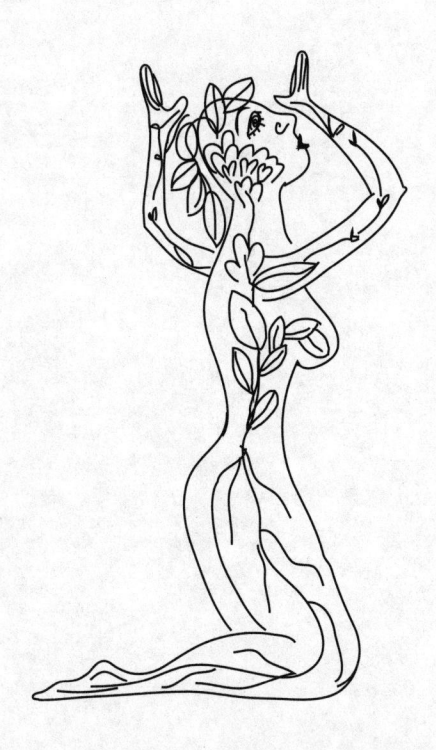

coração

às vezes
eu te amo quer dizer
eu quero te amar

às vezes
eu te amo quer dizer
vou ficar um pouco mais

às vezes
eu te amo quer dizer
não sei ir embora

às vezes
eu te amo quer dizer
não tenho aonde ir

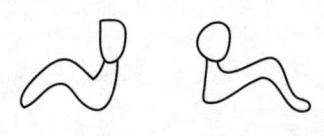

acho difícil separar
as relações abusivas
das saudáveis
não sei qual é a diferença
entre amor e violência

- *parece tudo a mesma coisa*

primeiro tentei transformá-lo na pessoa certa
depois demorei três anos para aceitar
que não é assim que o amor funciona

homens como ele são especialistas
em reconhecer uma menina como eu pelo cheiro
aquela que é invisível
que acha que é feia
porque o pai não a amava
ele disse meu nome
e eu nunca tinha ouvido meu nome
sair rodopiando da boca de um homem
é só dar um pouquinho de atenção
para quem nunca teve nada
que a pessoa fica toda derretida
e agradecida
incapaz de esconder a alegria
de ser desejada
o alívio de ser descoberta
ele me aliciou e me convenceu
de que eu não era capaz de viver sem ele
é assim que homens como ele
capturam meninas como eu

- predador

não me pergunte por que não fui embora
ele reduziu meu mundo a nada
e eu não via a saída

- *ter ido embora já me surpreende*

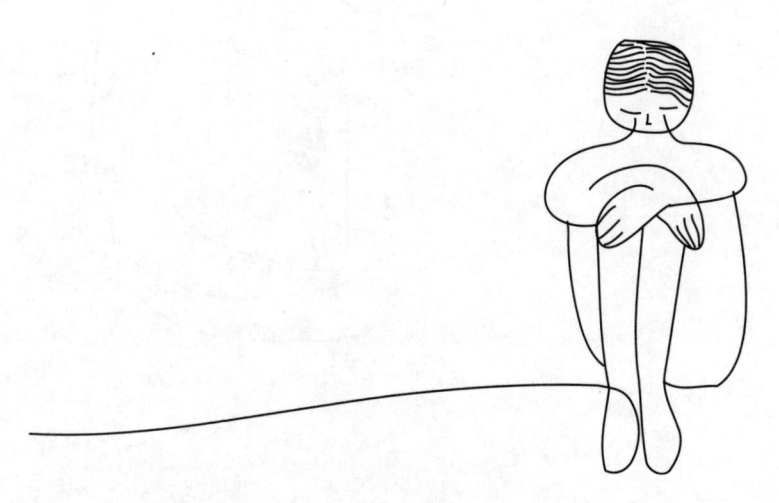

se alguém não tem coração
não adianta você sair por aí
oferecendo o seu

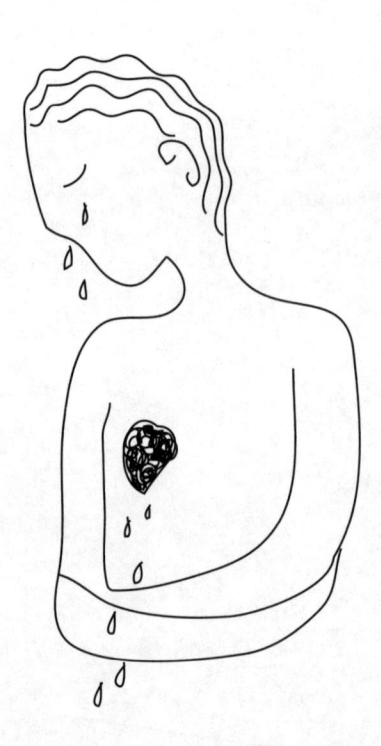

sempre que eu te levava ao paraíso
era um aviso
cada passeio que a gente fazia
pelo jardim da minha vida
toda flor que se abria para você
cada pavão que cantava o seu nome
era um sinal
mas
depois de presenciar a minha magia
você perdeu a cabeça e não achou mais
resolveu dar um pouco de si para a cidade inteira
pensou que depois da sorte de sentir o meu gosto
você merecia coisa melhor
mas nada se comparava
agora você voltou
se derramando pelo chão da minha casa
me implorando
para te enlaçar com as pernas
te puxar com as coxas
te levar aos céus com a minha buceta
eu te ofereci a maior viagem da sua vida
eu te deixei delirando
sempre que eu te mostrava o paraíso
cada passeio que a gente fazia pelo jardim da minha vida
toda flor que se abria para você
cada pavão que cantava o seu nome
anunciava tudo o que você iria perder
se me traísse

- *consequências*

se você for esperar que os outros
te façam acreditar que você é o bastante
você vai ficar esperando

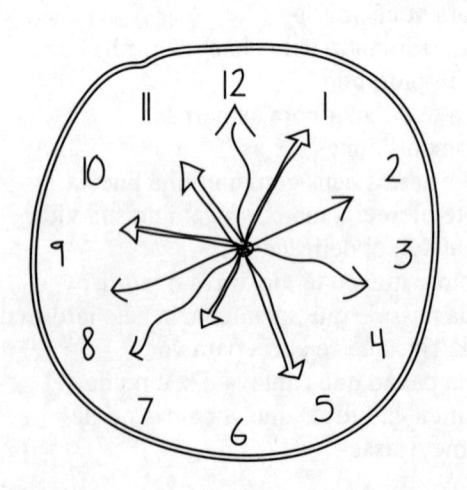

vou embora
porque não estou feliz aqui
não quero chegar ao fim da vida
ainda tendo dúvidas a respeito
do homem com quem estou
desde os vinte e poucos

por que tudo
passa a ser menos bonito
quando se torna nosso

precisei viver uma relação saudável
para descobrir que não devo ter medo
da pessoa que eu amo

eu chorava
porque não encontrava
um homem bom pra minha vida
agora eu encontrei e
ele não é suficiente
os outros sempre
estavam de saída

- por isso eram tão interessantes

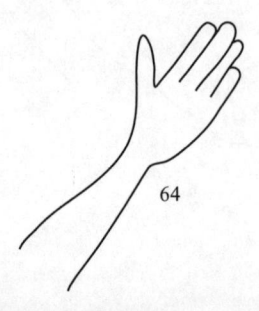

por que eu piso
em quem quer me ver bem
e venero quem me diminui

- *como foi que fiquei assim*

eu não sei o que fazer com um homem
que quer me dar a mão
pelo resto da vida

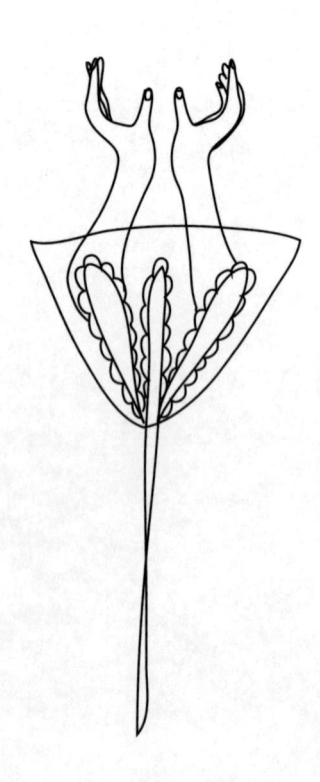

tenho medo de nunca encontrar a pessoa que me veja
e venha correndo me receber em um só fôlego
tenho receio de parecer apressada
me assusta pensar em ser trocada
por uma mulher mais inteligente
dona de uma beleza mais impressionante
tenho pavor de que isso confirme o que eu sempre soube
que não sou o suficiente para que alguém queira ficar
cadê o match que vai fazer tudo mudar
e se eu já tiver cruzado com a pessoa certa
numa esquina qualquer
e se eu já tiver estado com a pessoa certa
e estragado tudo
quem vai me amar o suficiente
para perder tempo se aproximando
de alguém tão inconstante
e se a pessoa que eu quero
for alguém que me toca e vai embora
e se a pessoa que não vai embora
for aquela cujo toque eu não suporto
será que sempre vai ser a hora errada
será que eu vou ter certeza
será que eu vou me decidir
será que eu vou ficar sozinha para o resto da vida

a pessoa com quem você se relaciona
deve tornar sua vida mais rica
não sugar sua energia
ficar quando dói não é amor

gosto demais da minha vida
para ficar toda derretida
pelo próximo homem
que me deixar com frio na barriga
quando eu posso me olhar no espelho
e me tirar o fôlego

o amor da família
dos amigos e da comunidade
tem tanta potência
quanto o amor
de uma relação romântica

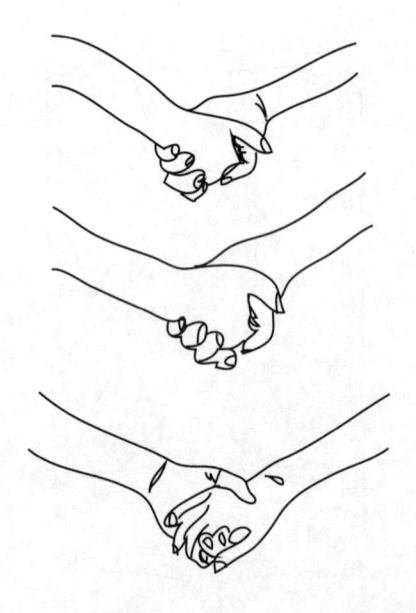

nada pode substituir
o que as mulheres da minha vida
me fazem sentir

uma pessoa só
não pode
te preencher
de todas as formas
que você precisa
a pessoa com quem você se relaciona
não pode ser tudo o que você tem

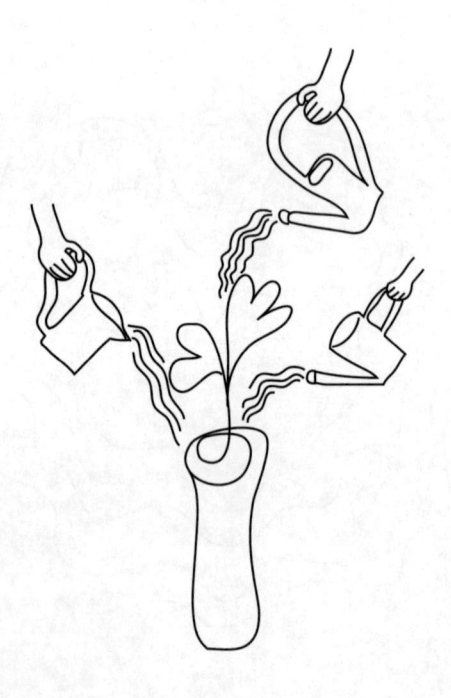

eu vivo bem sem amor romântico
mas não sobrevivo
sem as mulheres que escolhi como amigas
elas sabem exatamente do que eu preciso
antes mesmo que eu saiba
o apoio que oferecemos
umas às outras é ímpar

não há nada que um homem possa fazer por mim
que eu não possa fazer por mim mesma

- coisas que eu queria dizer à minha versão mais jovem

masturbação
é meditação

em um mundo que pensa
que meu corpo não me pertence
dar prazer a mim mesma é um ato
de amor-próprio
quando me sinto desconectada
eu me conecto com meu cerne
um toque por vez
eu retorno a mim mesma
na hora do orgasmo

eu não vou fingir
que sou menos inteligente
para que um homem fique
mais à vontade ao meu lado
a pessoa que eu mereço
vai ver o meu talento
e vai enaltecê-lo

eu quero que você apague
tudo o que aprendeu sobre o amor
e comece com uma só palavra
gentileza
ofereça à outra pessoa
deixe que ela ofereça a você
sejam duas colunas
iguais em seu amor
e assim vão carregar impérios nas costas

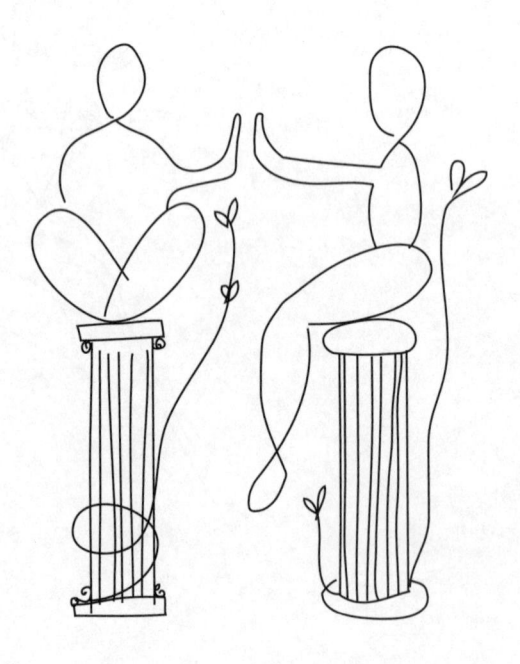

eu ponho a sua cabeça cansada
no meio das minhas pernas santas
e com a língua ele nada
rumo à salvação

- *batismo*

eu quero alguém
que veja minha inteligência como inspiração
e não como ameaça

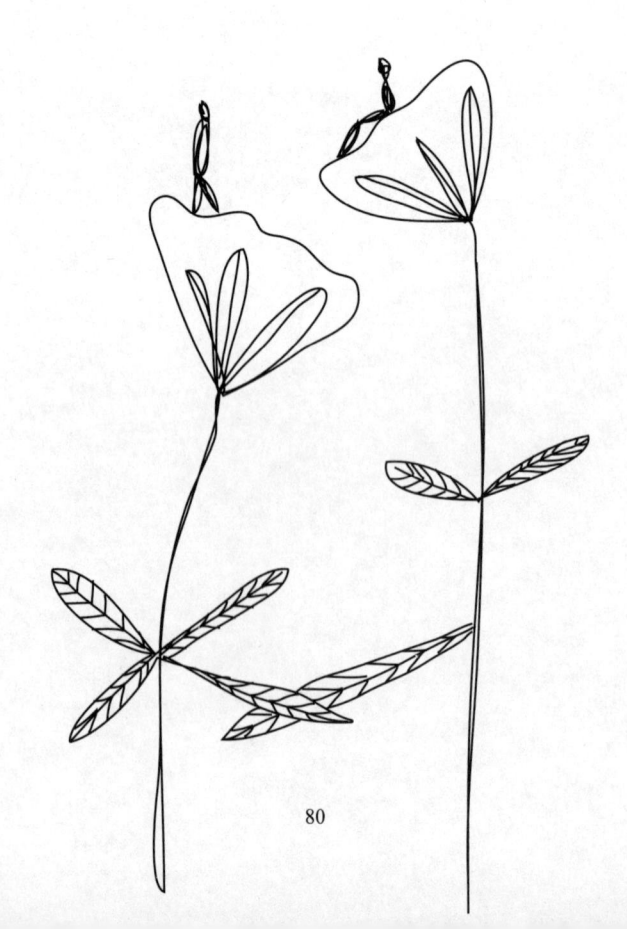

me olhe no olho
quando estiver lá embaixo
se alimentando de mim com toda a vontade do mundo

- *quero ver o que você faz comigo*

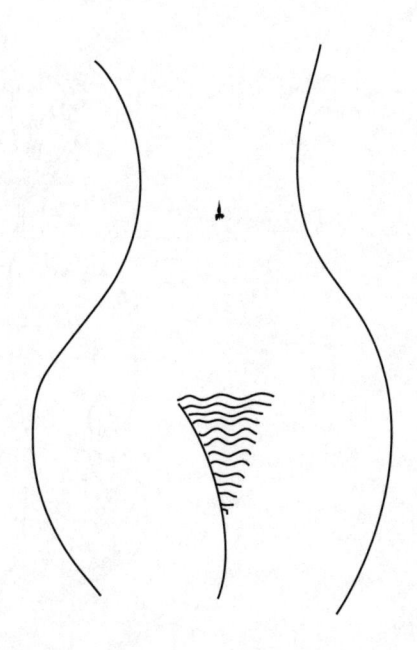

eu escolho com cuidado
as pessoas com quem perco tempo

- *eu me valorizo*

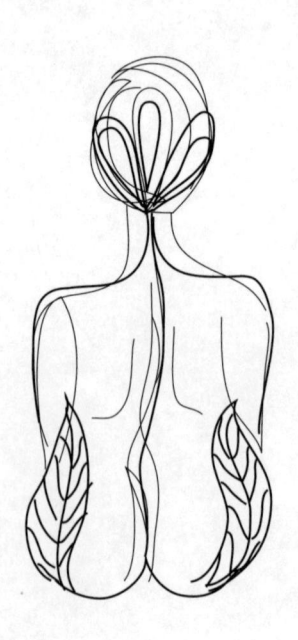

eu te quero tanto que o meu corpo já derreteu
e quando enfim tiramos a roupa eu transbordo
eu quero um amor que seja capaz
de transcender o meu eu
e me levar a outra dimensão
eu quero você tão fundo
que chegamos ao plano espiritual
no começo de leve e depois nem tanto
eu quero olho no olho
pernas abertas que apontam
para lados opostos do quarto
me olha com os dedos
eu quero sentir a ponta da minha alma
encostando na sua
eu quero chegar a
outro lugar e que saiamos desse quarto
transformados

- será que você consegue

repouso

dentro de mim existem anos
que não dormiram

deixo que a produtividade
seja a medida da minha autoestima
mas mesmo que
eu me esforce ao máximo
continuo sentindo que não sou o bastante

- *produtividade e culpa*

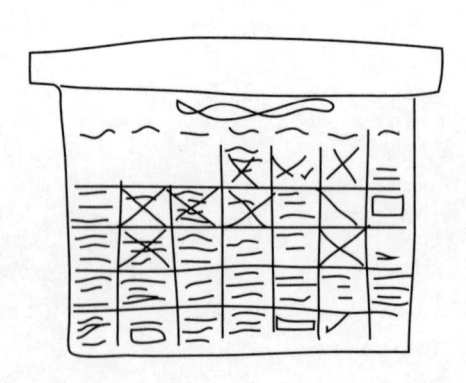

tenho medo de que
minha melhor fase já tenha passado
e que nada faça diferença daqui em diante

ansiedade de produtividade

eu me cobro demais
acho que todo mundo se esforça mais que eu
e que vou acabar ficando para trás
porque não trabalho tão rápido
nem com tanta disposição
e que é tudo em vão

eu não tomo café da manhã com calma
eu vou comendo no caminho
eu ligo para a minha mãe quando dá tempo – se não
qualquer conversa me atrasa

deixo para depois todas as coisas
que não me ajudem a realizar meus sonhos
como se o que deixo para depois
não fossem os próprios sonhos

afinal o sonho é ou não é
ter uma mãe com quem conversar
e uma mesa para o café da manhã

eu me perco numa paranoia
de otimizar todas as horas do dia
para ser uma pessoa mais preparada
para dar um jeito de ganhar dinheiro
para de alguma forma subir na carreira
porque esse é o preço
do sucesso
não é mesmo

eu desenterro minha vida
ponho numa embalagem
vendo para o mundo
e quando pedem mais
eu me vejo revirando ossos
para tentar escrever poesia

o capitalismo me invadiu a cabeça
e me fez pensar que meu único valor
é o que consigo produzir
para o público consumir
o capitalismo me invadiu a cabeça
e me fez pensar
que eu só valho
se tiver trabalho

foi assim que aprendi a ficar impaciente
foi assim que aprendi a duvidar de mim
aprendi a plantar sementes
e esperar flores no dia seguinte

mas o que é mágico
não funciona assim
a magia não acontece
porque aprendi a
fazer o trabalho render mais
a magia é regida
pelas leis da natureza
e a natureza tem outro tempo
a magia acontece
quando nós brincamos
quando nós fugimos
e sonhamos acordados
é aí que todas as coisas
que têm o poder de nos preencher
estão de joelhos à nossa espera

- ansiedade de produtividade

cada um pode trabalhar
no seu ritmo
e ser bem-sucedido
mesmo assim

uma vida na estrada

quando eu era pequena
meu pai trabalhava seis dias por semana
cruzando o continente
num caminhão

ele voltava para casa
depois de uma semana na estrada
enquanto eu e meus irmãos estávamos dormindo
o barulho da porta sempre me acordava
nosso apartamento no subsolo era pequeno
eu ouvia minha mãe na cozinha
fazendo dal e roti fresquinhos

meu pai comia
tomava banho
ia para a cama
mas logo que ele pregava os olhos
o chefe ligava e dizia

volta pra estrada agora
e de repente
víamos de relance nosso pai indo embora

quando você é imigrante
você abaixa a cabeça e continua o trabalho
quando você é refugiado
e não tem documentos
quando te chamam de clandestino
marginal
terrorista
essa gente de turbante
você trabalha até ficar pele e osso
você só pode confiar em si mesmo

toda vez que entrava numa empresa nova
ele passava meses trabalhando de graça
durante o período obrigatório de "treinamento"
é curioso que quisessem treinar um homem
que tinha habilitação
qualificação
e experiência

depois de três meses
sem levar um tostão para casa
meu pai exigia alguma remuneração
e eles ofereciam
cinco *cents* por quilômetro percorrido

anos atrás enquanto transportava uma carga
de montreal para a flórida
ele foi parar no hospital

em algum lugar nos estados unidos
com o apêndice
quase estourando

quando a médica disse
que teriam que fazer a cirurgia de imediato
ele olhou para ela e falou
eu não tenho como pagar
será que dá pra esperar eu voltar pro canadá

quando você volta a médica perguntou

daqui a três dias ele respondeu
e ela olhou para ele como se
ele tivesse enlouquecido

por sorte
ela não era o tipo de pessoa
que o deixaria arriscar a própria vida
naquela noite ela fez a cirurgia sem cobrar nada
e adivinha o que meu pai fez
logo depois de fecharem o corte
ele saiu andando do hospital
subiu na carreta
terminou a entrega
e dirigiu três dias para voltar para casa

por que você se sujeitou a isso tudo eu pergunto
ele encolhe os ombros e me diz
meu chefe não quis me pagar a passagem de avião
onde é que eu ia deixar meu caminhão

eu não podia voltar com a carga
de peças de carro que não tinham sido entregues
e correr o risco de perder o emprego

enquanto ouvia
eu só conseguia pensar
que ninguém devia ser obrigado a se matar
de trabalhar
parte meu coração ouvir
as histórias das pessoas que dão tudo de si
por muito menos do que merecem
como é que nós dormimos à noite
sabendo que os sistemas que apoiamos
tratam os alicerces da sociedade
como cidadãos de classe inferior
quando é graças a essas pessoas
que as engrenagens deste mundo continuam girando

eu quero dar ao meu pai
uma vida inteira de paz
pela vida inteira que ele passou
na estrada para nos dar de comer
eu quero que ele saiba
o que é conforto
eu quero que ele veja
que o que ele fez bastou

- uma vida na estrada

quando os colegas da escola perguntavam
onde minha mãe trabalhava
eu mentia e dizia *na fábrica*
que nem todas as outras mães
eu tinha vergonha de dizer
que ela não tinha um "emprego de verdade"
ainda que ser mãe e dona de casa significasse
que ela passava o dia todo sendo cuidadora
motorista
chef de cozinha
secretária
professora
faxineira
melhor amiga
de quatro filhos
e que o que era "emprego de verdade" aos olhos do mundo
não chegava aos pés do que ela fazia

- *valor*

nosso objetivo era sobreviver por mais um dia
e continuou sendo depois que já tínhamos sobrevivido

- *costume*

não consigo romper
esse ciclo contínuo
em que me afasto para construir minha vida
e depois volto correndo
porque sinto culpa
por não passar mais tempo com eles

- *culpa*

eu pensava que meu corpo pardo de imigrante
sempre tivesse que se esforçar mais
que qualquer outra pessoa ao redor
porque era isso que mostrava meu valor

aqueles que vieram antes de nós não são descartáveis

o solo abriu bem os braços
e disse *levante os pés*
a árvore disse *vou te dar vida*
o ar disse *me respire*
a terra disse
cuide do que cuida de você
e nós lhes demos as costas

- *traição*

nós destruímos
nosso único lar
por conveniência e lucro
mas nada disso será útil
quando a terra
ficar sem ar

somos quem grita mais alto no parquinho da terra
mas isso não nos torna mais importantes
que o chão em que pisamos
não somos nada além de ar
e fogo e água e solo
somos um povo
que se esquece do que é feito
um povo que fala do tempo
como se fosse algo comum e não mágico
como se os oceanos
não fossem água benta
como se o céu
não fosse uma visão
como se os animais
não fossem nossos irmãos
como se a natureza não fosse deus
e a chuva não fosse suas lágrimas
e como se nós não fôssemos seus filhos
e como se deus não fosse a própria terra

eu tentei me adaptar a um sistema
que me esvaziava

- *capitalismo*

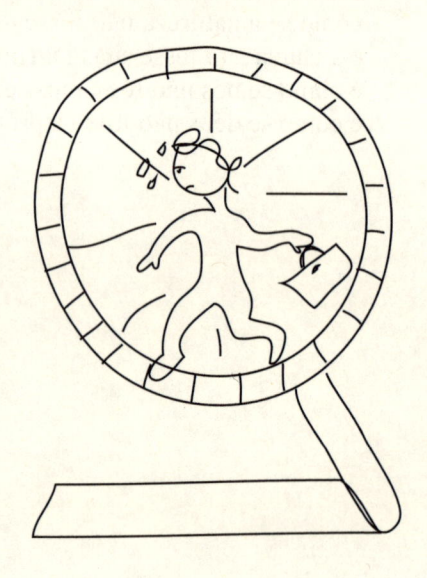

eu pensei que fosse capaz
de encontrar um jeito
só meu de ser feliz
mas nada que existia do lado de fora
me preenchia da forma
como tinham prometido

a felicidade deixou de ser novidade
esperando minha chegada
e eu envelheci
procurando a felicidade
nos lugares onde ela não morava

nossa alma
não vai encontrar calma
nas nossas conquistas
na nossa aparência
nem no trabalho árduo
mesmo se ganhássemos
todo o dinheiro do mundo
ainda sentiríamos falta de algo
nossa alma busca comunidade
nosso eu mais profundo busca um ao outro
precisamos viver em contato
para nos sentirmos vivos

eu fico tão distraída
pensando no lugar aonde quero chegar
que esqueço que o lugar onde estou
já é muito especial

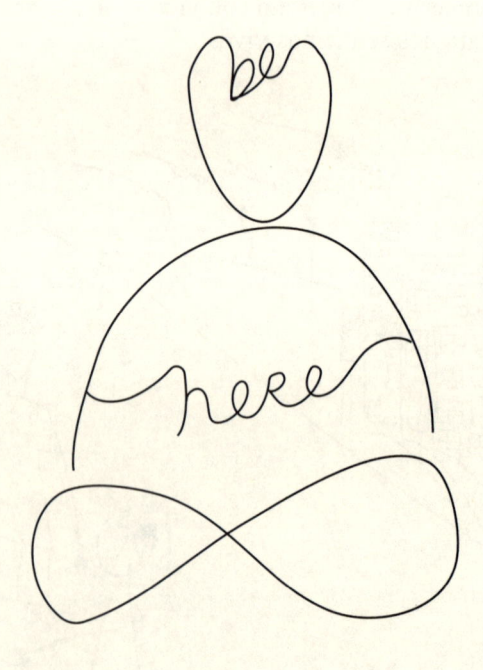

sinto saudade da época em que amigos e amigas
sabiam dos detalhes mais banais da minha vida
e eu sabia dos detalhes mais triviais da vida deles
a vida adulta me privou dessa certeza
desse *eu e vocês*
das voltas no quarteirão
das longas conversas em que
perdíamos a noção da hora
quando a gente ganhava e comemorava
quando a gente perdia e comemorava mais ainda
quando éramos *tão jovens*
agora temos os nossos empregos muito importantes
que ocupam as nossas agendas lotadas
abrimos o calendário só para marcar um café
que um de nós sempre acaba cancelando
porque chegar à vida adulta é passar a maior parte do tempo
sem conseguir sair de casa de tanto cansaço
eu sinto saudade de saber que pertenço
a um grupo que é maior que eu mesma
esse pertencimento tornava a vida mais fácil

- *saudade dos amigos*

nós já temos as coisas que nos completam
só que elas não são coisas
elas são pessoas
e conexão e riso

- *insubstituíveis*

talvez você já tenha feito
o trabalho externo
mas sua mente está precisando
de atenção que vem de dentro

- *ouça*

não quero mais saber
de nenhuma autoajuda paga
cansei de comprar produtos e serviços
que não me ajudam em nada

- *falsas promessas*

a perfeição não me importa
eu prefiro me jogar de cabeça
na loucura que é a vida

pensamos que estamos perdidos
enquanto nossas versões
mais plenas e completas
estão em algum lugar do futuro
ficamos de quatro
pensando que buscar a perfeição
vai nos ajudar a alcançá-las
mas esse papo de se encontrar
é uma merda que não acaba nunca
já cansei de deixar para aproveitar a vida
quando eu me conhecer melhor
eu viro uma pessoa nova todo mês
sempre me tornando e deixando de ser
só para voltar a ser
nossas versões mais plenas não estão no futuro
estão aqui mesmo
no único momento que existe
eu não preciso de conserto
eu vou procurar respostas para o resto da vida
não porque eu vim com defeito
mas porque tenho a sabedoria de continuar crescendo
tudo o que eu preciso para levar uma vida intensa
já existe aqui dentro

- *eu sou completa justamente por ser imperfeita*

produtividade não é a quantidade
de trabalho que eu faço num dia
e sim como eu equilibro
aquilo de que preciso para viver com saúde

- ser produtivo é saber a hora de descansar

eu preciso respeitar minha mente e meu corpo
se quiser chegar ao fim da jornada

- *vida*

não cabe a ninguém decidir quanto você vale
você acorda todos os dias e leva sua vida
o que você acha de si é a única opinião
que importa

minha querida poeta
parece que quanto mais você escreve
mais você se pergunta
se é você quem escreve essas palavras
quem disse que é você quem manda
as palavras fluíam
da primeira vez
brotavam à sua revelia
e agora você tenta
fazer com que te obedeçam
mas não é assim que acontece a magia
a sua pressa asfixia
as obras-primas
que crescem aí dentro
a sua tarefa
é estar presente
ser paciente e quando chegar a hora
o universo vai falar de novo através de você

- *inspiração*

se você tentou
e não chegou
ao lugar que queria
não deixa de ser crescimento

calma eu pedi pra minha cabeça
essa sua mania de pensar demais
enche a gente de tristeza

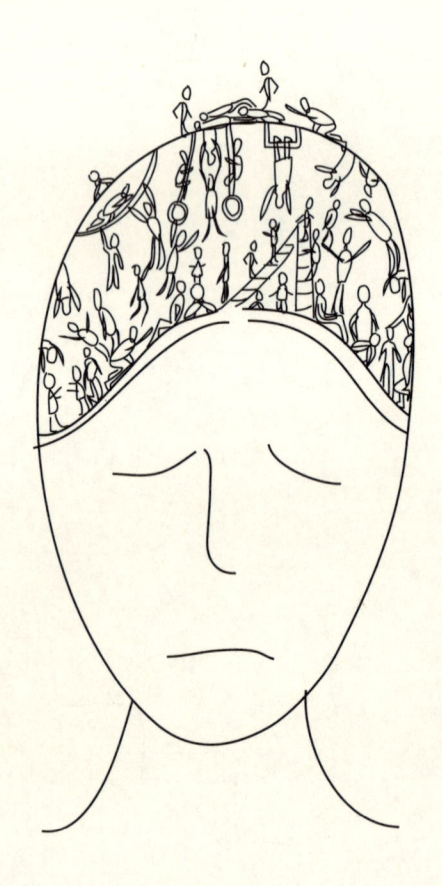

nem tudo que você faz
tem que melhorar cada vez mais
você não é uma máquina
você é um ser humano
sem descanso
seu trabalho não se satisfaz
sem diversão
sua mente não se sustenta

- *equilíbrio*

na hora de brincar nós fugimos do tempo

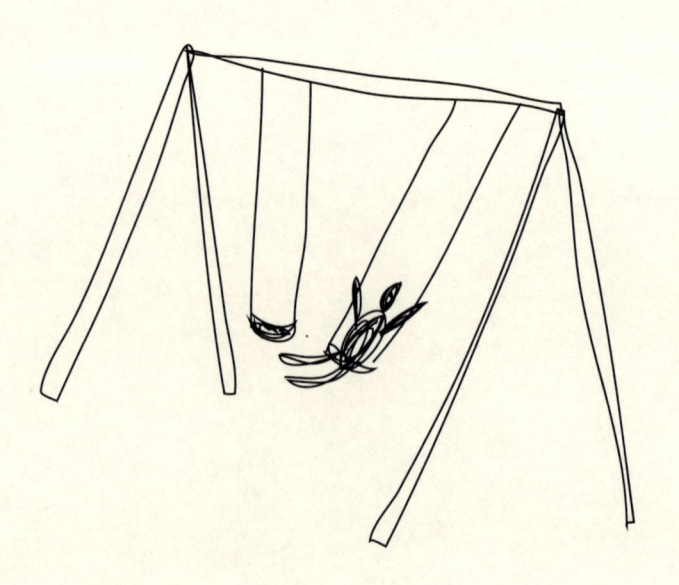

se quer ser criativo
você precisa aprender
a fazer coisas que não têm motivo
a arte não nasce
do trabalho sem intervalo
antes de tudo você
tem que sair lá fora e viver

- *logo a arte vem*

dê licença para você passar
dê licença para você passar
dê licença para você passar

cansei de viver tentando
provar para mim
que eu tenho valor

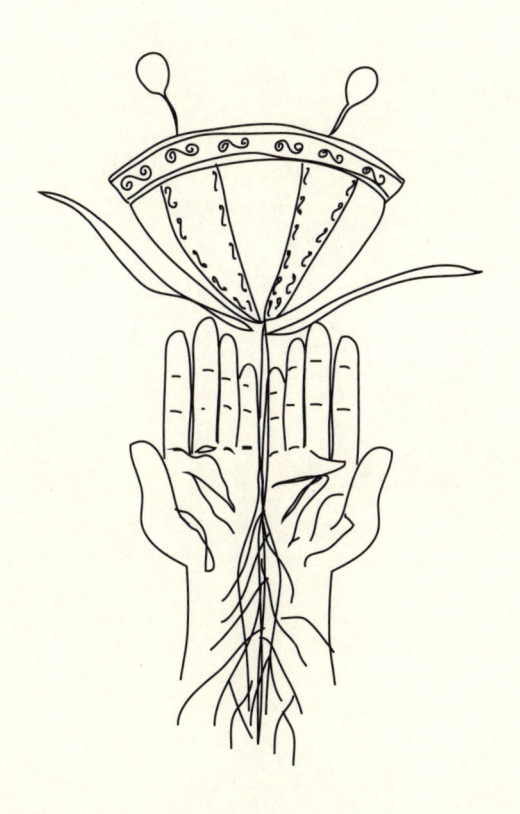

eu me tornei confiante
quando decidi que me divertir
era muito mais importante
que meu medo de passar vergonha

- *dançando em público*

a gente fez de tudo
para chegar até aqui
e agora pode se dar ao luxo
de admirar a paisagem

despertar

estou despertando
da noite mais longa da minha vida
não vejo o sol há anos

- *desperto*

ninguém pode silenciar uma mulher que nasceu amordaçada

eu saí do meio das pernas da minha mãe
caí direto nas mãos deste mundo
e a própria deusa me movia por dentro

- *nascimento*

eu dei meu sangue para estar aqui. eu paguei com
uma infância marcada por monstros piores que você.
neste mundo me calaram com um tapa mais vezes do que
me deram um abraço. você nunca viu o que eu vi. meu
fundo do poço era tão fundo que eu pensei que lá
era o inferno. passei uma década tentando sair. fiquei
com bolhas nas mãos. meus pés incharam. minha
mente dizia *eu não aguento mais.* eu falava para ela
*dá um jeito. a gente veio pra ser feliz. e vamos sentir
tudo o que temos direito.* eu fui caçada. assassinada.
e voltei para a terra. eu arranquei a cabeça de toda
fera que ousou me enfrentar. e você quer roubar
o meu lugar. o lugar que eu conquistei com a história da
minha vida. meu bem. não vai rolar. eu coleciono
figurinhas do seu tipo. com idiotas feito você eu
faço piada. eu já brinquei e já dormi e já dancei com
demônios mais poderosos do que você.

quando você não conseguir se ouvir
desacelere e
deixe sua mente e seu corpo
botarem as novidades em dia

- *quietude*

que alívio
descobrir que
as dores que pensei
serem só minhas
também eram
de tanta gente

meu corpo se renova em ondas de mar e sangue

tenho um relacionamento complicado
com o país onde nasci
nossos homens eram
massacrados pelas ruas
estupravam nossas mulheres
enquanto torturavam milhares
e a polícia sumia com outros
o governo indiano nega tudo
mas nem bollywood nem toda a ioga do mundo
nos farão esquecer
o genocídio sikh que foi encomendado

- jamais esqueceremos 1984

eu nunca vou deixar de falar
sobre o que meu povo
precisou enfrentar
para que eu vivesse livre

foi por nossas dores
que comecei a escrever poesia
cada palavra
que escrevi na vida
foi para nos devolver a nós mesmos

eles podiam levar embora
tudo o que a gente tinha
que depois a gente conjurava
de novo uma vida linda
com o nosso esforço
construir um império
do zero
é justamente nosso maior talento

a nossa deve ser
uma política de revolução
a liberdade só pode existir
quando os menos privilegiados estiverem livres

não durma no ponto
do seu potencial
esperando o que pode acontecer
quando você pode *ser*
o acontecimento

você é uma só pessoa
mas quando você avança
uma comunidade inteira
anda por meio de você

- *ninguém anda sozinho*

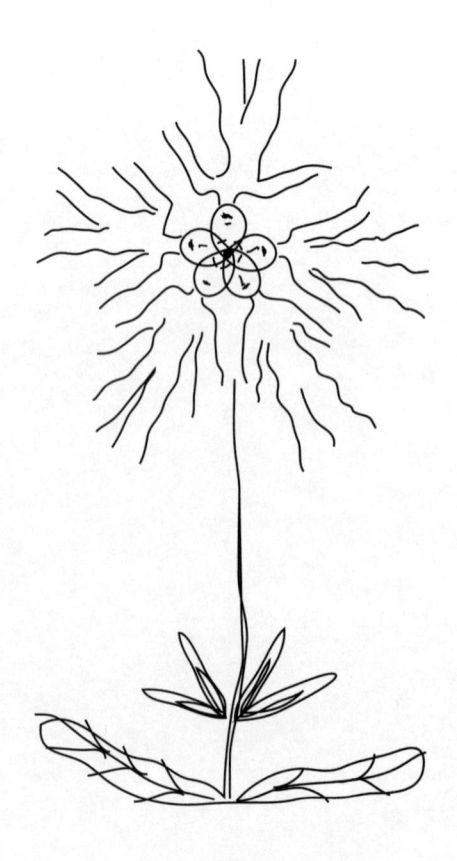

porque vivem
num mundo racista
pessoas que não são negras
crescem com preconceito
ensinam a todos nós
que o mais claro é o certo

- *ruína*

sua voz ativa
é sua soberania

- *livre*

você está com cara de cansada ele diz
eu viro para ele e falo
sem dúvida estou exausta
eu luto contra a misoginia há décadas
o que é que você espera ver na minha cara

ninguém neste mundo
vive em negação tão profunda
como o homem branco
que mesmo tendo tantas
provas diante de si
ainda acha que o racismo e o machismo
e toda a dor do mundo não existem

o mundo está mudando
será que você sente
ele se despindo e depois vestindo
uma roupa desconfortável
e mais justa

- *mudanças*

não tenho interesse
num feminismo que pensa
que alçar mulheres ao topo
de um sistema opressor é suficiente

- *não contem comigo como porta-voz*

o mundo
de nossos sonhos para o futuro
não pode ser fundado
na corrupção do passado

- *é melhor derrubar tudo*

hoje me vi pela primeira vez
quando tirei a poeira
do espelho da minha mente
e a mulher que me encarou de volta
me tirou o fôlego
afinal quem era aquela criatura tão linda
aquela terráquea extraceleste
eu toquei meu rosto e meu reflexo
toquei a mulher dos meus sonhos
toda sua beleza me sorria nos olhos
meus joelhos se renderam à terra
e eu chorei suspirando pensando
que eu tinha passado a vida inteira
sendo eu
mas não me vendo
tinha passado décadas morando
no meu corpo
sem sair nem uma vez
e mesmo assim tinha ignorado
seus milagres
é curioso como somos capazes
de ocupar um espaço sem
estar em sintonia com ele
como eu pude demorar tanto
para abrir os olhos dos meus olhos
aceitar o coração do meu coração
beijar os meus pés inchados
e ouvi-los sussurrando
obrigado
obrigado
obrigado
por nos ver

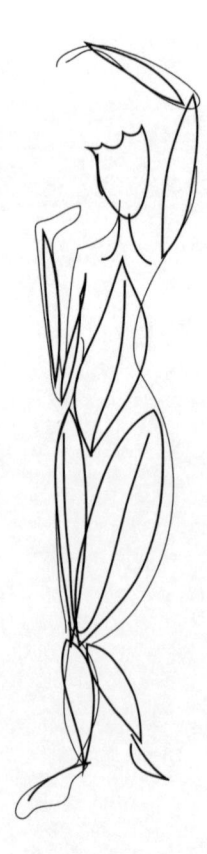

você tem tudo a ganhar
ao acreditar em você
mas perde tempo duvidando de si

há um diálogo
que acontece dentro de você
ouça com muito cuidado
o que seu universo interno
está tentando dizer

parei de lutar contra
os sentimentos incômodos
e aceitei que ser feliz
não tem nada a ver com
se sentir bem o tempo todo

- *equilíbrio*

é fácil amar
aquilo que temos de bom
mas o verdadeiro amor-próprio
é abraçar aquilo que todos nós
temos de difícil

- *aceitação*

será que você ouve as mulheres que vieram antes de mim
quinhentas mil vozes
que vibram na minha garganta
como se isso tudo fosse um palco feito para elas
não sei dizer quais partes de mim são eu
e quais são elas
será que você vê quando elas me invadem
e saem do meu corpo
para fazer tudo
o que não puderam
quando estavam vivas

mergulho na nascente do meu corpo
e chego a outro mundo
eu tenho tudo
de que preciso aqui dentro
não há motivo para procurar
em outro lugar

- *casa*

o que não falta na buceta é coragem
que jamais nos esqueçamos
quanta dor
ela aguenta
quanto prazer ela gera
para si mesma e para os outros
não se esqueça
de como ela te cuspiu
sem pensar duas vezes
e agora olha você aí
usando a palavra *buceta*
como se fosse ofensa
sendo que você não tem
metade da força dela

viva com todo o orgulho que você merece viver
e se oponha a essas regras de merda que
tentam impor à aparência da mulher

as mulheres ficaram tanto tempo sem espaço
que quando uma de nós enfim
conquista uma vaga no palco
ficamos com medo de que outra mulher
possa roubar nosso lugar
mas as coisas não funcionam assim
olha os homens que estão no palco e se fortalecem
e se multiplicam cada vez mais
com mais mulheres no palco
sobra espaço para todas lá no alto

- juntas somos mais fortes

não tenho interesse num feminismo
que exclui as mulheres trans

ele diz *você tem opiniões fortes*
como se fosse uma afronta
ter ideias tão grandiosas
que ele chega a gaguejar

- *nunca se cale*

procure as mulheres ao seu redor
que têm menos espaço que você
ouça
escute-as
e coloque o que elas dizem em prática

- *amplifique a voz das mulheres não brancas.
 indígenas. trans. negras. pardas.*

por que fugir de si
se você é tão linda
aproxime-se de seu brilho

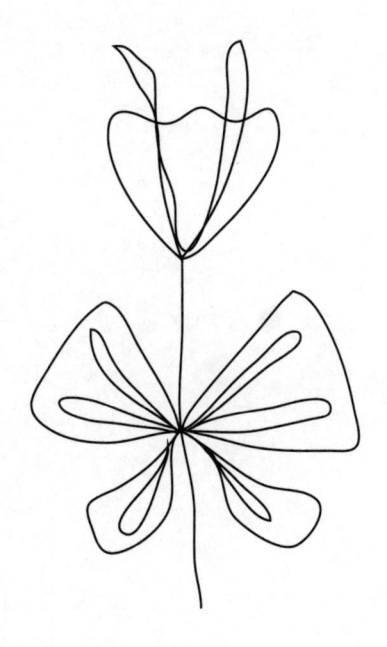

quando eu não conseguia me mexer
foram mulheres
que vieram me banhar os pés
até eu voltar a ter forças
para me levantar
foram mulheres
que me nutriram
para eu voltar a viver

- *irmãs*

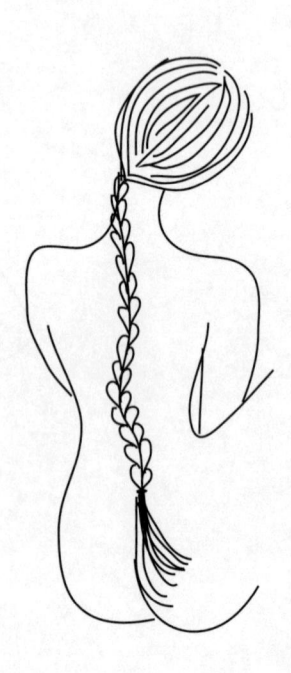

faça questão
de se amar
com a mesma intensidade que reserva aos outros

- *compromisso*

não devia ser do interesse de ninguém
o que fazemos com nosso corpo
muito menos de quem nunca
sentiu na pele o que vivemos

podem mandar mais rugas e linhas de expressão
eu quero provas das piadas que contamos
entalhem contornos no meu rosto como
raízes de árvore que ficam mais
profundas a cada ano
eu quero manchas de lembrança
das praias em que tomamos sol
eu quero que fique na cara que eu nunca
tive medo de deixar o mundo
me puxar pela mão
e me mostrar a verdade
eu quero ir embora com a certeza
de que fiz com o meu corpo
algo além de tentar
alcançar a perfeição

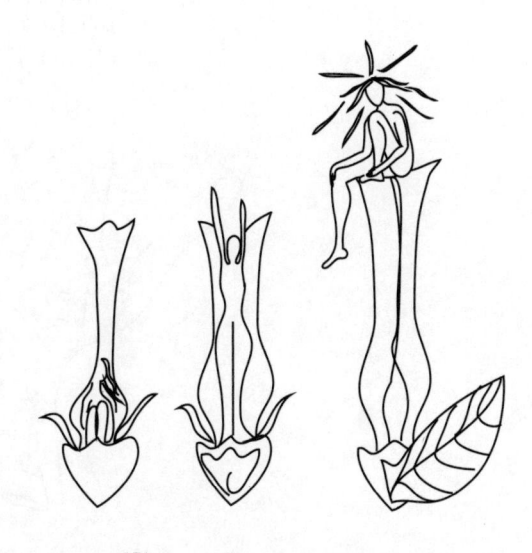

não consigo tirar os olhos de mim
agora que eu me vejo
não consigo parar de pensar em mim
nem nas magias
que minhas mãos criam
nos sermões que eu trouxe ao mundo com a voz
nas montanhas que destruí
com os dedos
e nas montanhas que construí
com as palavras sem sentido
que tentaram usar
para me apedrejar

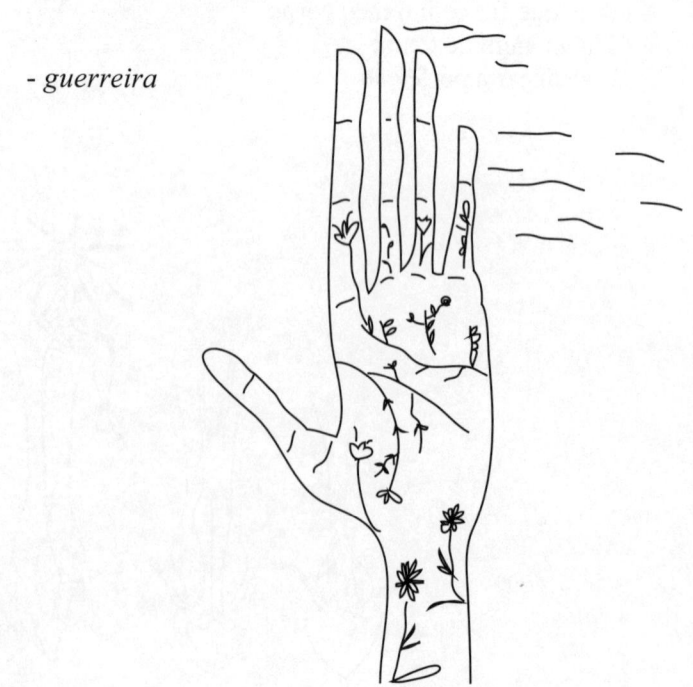

- *guerreira*

às vezes me pego sonhando com a mulher que serei
quando sair dessa correria
da insegurança dos meus vinte anos
e aprender a confiar em mim no caminho
não vejo a hora de deixar
meu eu de dezoito anos com inveja
do barulho que eu vou fazer
quando chegar aos trinta e aos quarenta
minha personalidade vai ficar
mais potente a cada ano
aos cinquenta eu vou encontrar
as rugas e os cabelos brancos
e vamos rir das aventuras
que vivemos juntos
e falar das incontáveis outras
que nos aguardam nas décadas a seguir
que privilégio imenso
é poder me tornar
a melhor versão de mim

- envelhecer

esteja aqui
no que o dia de hoje pede

- é assim que você valoriza o amanhã

se o demônio não tivesse
te acuado num canto
e te obrigado a quebrar seu pescoço
como é que você saberia
que tinha tanta força

em mim existem milagres
que esperam sua vez de acontecer
eu nunca vou desistir de mim

seu lugar não é no futuro nem no passado

- *seu lugar é aqui*

faça um escândalo
fale tudo o que precisa
é uma delícia retomar as rédeas da vida

a chance de darmos a volta por cima
depois de todas as tristezas da vida
é a coisa mais linda que eu já vi

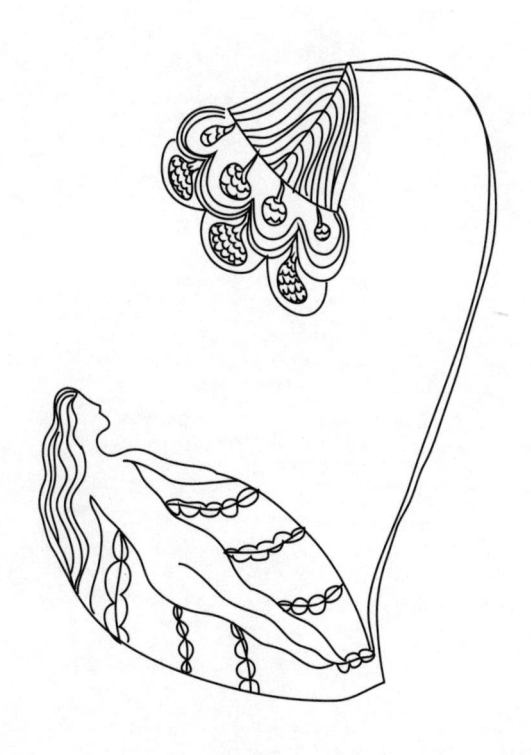

você é um espírito. um mundo. um portal. uma alma.
você nunca está só. você é órgãos e sangue
e carne e músculo.
uma colônia de milagres entrelaçados.

arrombe
todas as portas que construíram
para te deixar do lado de fora
e leve seu povo com você

- *revolta*

você não está sozinha
sozinha estaria se
não houvesse as batidas de seu coração
e a força de seu pulmão
e o impulso de sua respiração
como você estaria sozinha se
há uma comunidade dentro de si

- *você tem tudo a seu lado*

eu nunca mais terei
de volta esta versão de mim
me deixa pegar leve
e passar um tempo com ela

- *sempre evoluindo*

sua beleza é inegável
mas o que você tem de ancestral e sagrado
é ainda mais incrível

eu desperto para meu eu divino

não existe nada melhor
que jogar no seu próprio time

eu não tenho medo do fracasso
tenho medo de fazer o mundo
pegar fogo
com meu potencial

tem dias
em que a luz tremula
e então eu lembro
que eu sou a luz
eu entro
e a acendo de novo

- *potência*

essa é só a ponta do iceberg
de tudo o que você consegue
ainda há décadas
de vitórias que te esperam

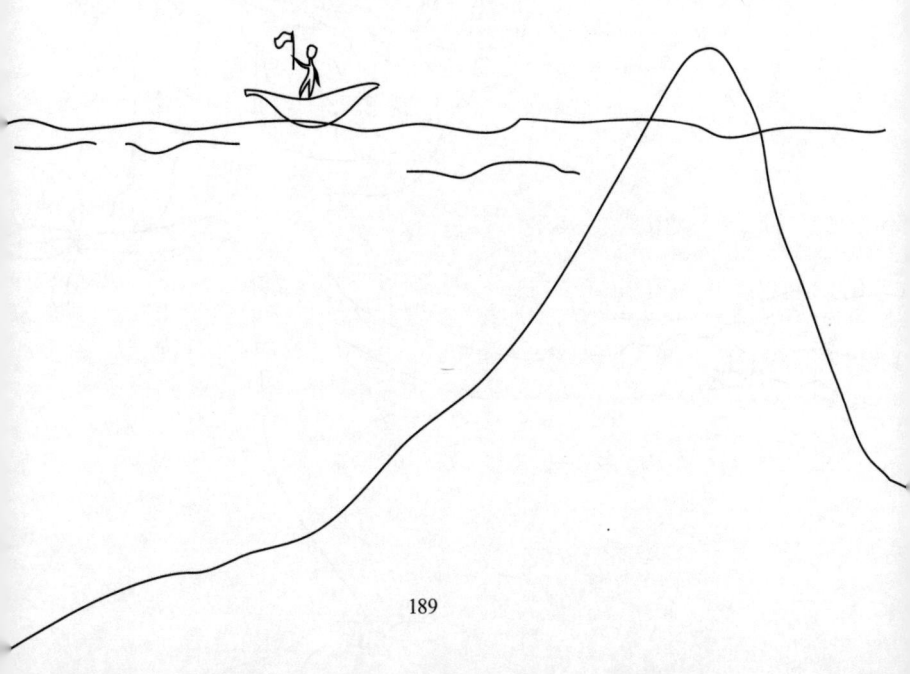

menina boba
anjinha
diabinha
vai pensando
que não é você a milagreira
você é a mãe
a maga
a mestra da sua vida

agora que você se libertou
e a única obrigação que tem
é com os seus sonhos os de mais ninguém
o que vai fazer
da sua vida

rupi kaur é poeta. artista. e performer. quando estudante universitária de vinte e um anos rupi escreveu. ilustrou. e publicou de maneira independente seu primeiro livro de poesia, *outros jeitos de usar a boca*. depois veio o irmão *o que o sol faz com as flores*. essas coletâneas venderam mais de oito milhões de cópias e foram traduzidas para mais de vinte idiomas. *meu corpo minha casa* é sua terceira coletânea de poesia. os poemas de rupi falam de amor. perda. trauma. cura. feminilidade. e imigração. ela se sente em casa quando produz arte ou declama seus poemas num palco.
saiba mais: www.rupikaur.com

**poemas
ilustrações
e arte da capa:**

rupi kaur

outros livros de rupi kaur:

*outros jeitos de usar a boca
o que o sol faz com as flores*